I Steven, Susan a Fiona
L.G.

I Tomás
J.S.

Y fersiwn Saesneg
Cyhoeddwyd gyntaf yn 2018 gan Egmont UK Limited, The Yellow Building, 1 Nicholas Road, Llundain W11 4AN

Hawlfraint y testun © Louise Greig 2018
Hawlfraint y lluniau © Júlia Sardà 2018
Mae'r awdur a'r arlunydd yn datgan eu hawl fel awdur ac arlunydd y gwaith hwn.
Cedwir pob hawl.

Y fersiwn Cymraeg
Addaswyd gan Eurig Salisbury
Golygwyd gan Adran Olygyddol Cyngor Llyfrau Cymru
Dyluniwyd gan Ceri Jones

Cyhoeddwyd yn y Gymraeg gan Atebol Cyfyngedig, Adeiladau'r Fagwyr, Llanfihangel Genau'r Glyn, Aberystwyth, Ceredigion SY24 5AQ

Cyhoeddwyd gyda chymorth ariannol Cyngor Llyfrau Cymru

Hawlfraint y cyhoeddiad Cymraeg © Atebol Cyfyngedig 2018

Sgubo
sweep

Louise Greig

Addaswyd gan Eurig Salisbury

Lluniau gan / Illustrated by: Júlia Sardà

Daf hyfryd iawn yw Daf mewn hwyliau da.
Ond mae Daf mewn hwyliau drwg yn stori wahanol iawn.

Daf in a good mood is a very nice Daf.
Daf in a bad mood is not.

Ac roedd Daf mewn hwyliau drwg.

And Daf was in a bad mood.

Nid un o'r hwyliau drwg hynny sy fel storm fach
mewn cwpan de, ac sy'n chwythu ei phlwc
mewn dim o dro.

Not one of those tiny whirlwinds in a teacup
that blow over before they have even begun.

Na, y tro hwnnw fe sgubodd yr hwyliau drwg drosto
fel storm fawr, ddychrynllyd.

No, this mood swept over him in a raging storm and stuck.

Dechreuodd fel peth bach, bach . . .

It began as something small . . .

peth bach iawn – dim o beth, a dweud y gwir.

really small, hardly a thing at all.

Ond cyn pen fawr o dro, roedd y peth bach hwnnw wedi tyfu, wedi cyflymu ac wedi sgubo Daf i ffwrdd i lawr y lôn.

Roedd hwyliau drwg Daf wrth eu bodd.

But before Daf knew it, the something had grown, gathered pace, and swept him off down a path.

Daf's bad mood thought this was a wonderful idea.

Ond stori wahanol oedd hi i'r pethau a oedd yn ei ffordd.

But the things that got in Daf's way did not.

Roedd Daf yn gwybod yn iawn pryd i roi'r gorau iddi,
Daf knew perfectly well when he had gone far enough,

ond ni fedrai yn ei fyw ddweud, *Iawn, dyna ddigon.*
but he could not bring himself to say, *Okay, that will do.*

Felly taranodd ymlaen ychydig eto. Ac ychydig eto.
So, on he stormed a bit further. And a bit further still.

Nes i'r holl beth fynd yn llawer iawn mwy nag o!

Until, suddenly the whole thing became bigger than him!

Wrth gwrs, pe bai Daf wedi edrych i fyny,
byddai wedi sylwi ar yr holl **bethau hardd**,
pethau hardd a oedd bob tro'n codi ei galon.

Of course, if Daf had looked up he would have noticed the beautiful things,
the things that always made his heart sing.

Ond doedd Daf ddim am edrych i fyny.
Roedd y llawr o dan ei draed yn llawer mwy diddorol,
neu o leiaf dyna a ddywedai ei hwyliau drwg wrtho.

But he refused to lift his eyes.
The ground was a lot more interesting,
or so his bad mood told him.

Roedd pob dim fel pe bai yn ei erbyn.

Ond gwnaeth hynny Daf
hyd yn oed yn fwy penderfynol.

Aeth yn styfnig i gyd
a bwrw ymlaen.

Everything seemed against him.

But that just made him even
more determined.

He dug in his heels
and kept going.

Dim ond Daf a'i hwyliau drwg.

Just Daf and his bad mood.

A yw hyn yn werth y drafferth, go iawn? gofynnodd iddo'i hun.
Wrth gwrs ei fod, dywedodd ei hwyliau drwg, ond doedd
Daf ddim yn hollol siŵr.

Is this really worth it? he asked himself. *Yes*, his bad mood decided, though Daf did wonder a little.

Erbyn hynny, roedd ei hwyliau drwg wedi sgubo drwy'r dre i gyd.

Roedd yr adar wedi peidio â chanu.

Roedd y blodau wedi diflannu.

Now his bad mood had swept through the whole town.

The birds had stopped singing. The flowers had disappeared.

Roedd yr holl lanast yn amharu ar bawb a phopeth.

This whole thing was affecting everyone and everything.

Dwi'n falch, dywedodd hwyliau drwg Daf,
ond yn dawel bach, roedd yn flin gan Daf
nad oedd yr holl beth wedi chwythu ei blwc ers tro.

Good, thought Daf's bad mood,
but really Daf was beginning to wish it had
all blown over like a whirlwind in a teacup.

Trodd y dydd yn nos, a dechreuodd Daf flino ac awchu am fwyd.
Roedd yn mynd yn fwy ac yn fwy anodd cadw'r holl beth i fynd.

Everything grew dark and Daf was getting tired and hungry. He was finding it harder and harder to keep this up.

Ond fedrai Daf ddim rhoi'r gorau iddi nawr, na fedrai?
Ddim ar ôl iddo fynd i'r fath drafferth? Byddai hynny'n hurt!

Surely he could not give up now? Not when he had gone to all this trouble. That would be crazy.

Ond roedd yn rhaid i **rywbeth** newid.

But something had to change.

Ac yna'n sydyn, fe wnaeth rhywbeth newid. Cododd y gwynt yn annisgwyl.

And then something did change. A new wind whipped up.

Dechreuodd fel peth bach, bach,

It began as something small,

peth bach iawn,

really small,

ond yna fe dyfodd yn fwy,

that became bigger,

yn llawer
mwy
na Daf.

bigger than Daf.

A chyn pen dim o dro, roedd popeth
yn wahanol. Roedd y byd yn olau i gyd.

Suddenly everything looked different. The world looked brighter.

Am eiliad, teimlai Daf fel ffŵl.
Ai methiant llwyr fu'r drafferth i gyd?

For a moment Daf felt rather silly. Had he really gone to all that effort for nothing?

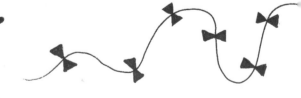

Ond o leiaf fod yr holl
beth wedi clirio'r awyr.

But at least it had cleared the air.

Ac roedd wedi chwythu rhywbeth tuag ato.

It had even blown something his way.

Rhywbeth a wnaeth i Daf edrych i fyny.

Something that made him look up.

Rhywbeth
a gododd ei galon.

i'r nen.
ac yn uwch
I fyny ac i fyny — yn uwch

It lifted his mood.
          to the   sky.
Higher and higher — up

Ac yn sydyn, fe welodd yr harddwch o'i gwmpas i gyd.

And suddenly he noticed beauty all around him.

Cafodd ei sgubo i ffwrdd.

Ac fe ddiflannodd ei hwyliau drwg gyda'r gwynt.

It swept him away.
As for his bad mood, it vanished into thin air.

Bellach, pan fo Daf yn teimlo
ei hwyliau drwg yn **bygwth** codi
a'i sgubo i lawr y lôn honno eto,

mae'n meddwl ddwywaith.

Yn gyntaf, *Ydw i am fynd?*

Now, when it looks as if Daf might,
just might, spiral into a bad mood
and sweep down that path again,

he thinks twice.

His first thought is *Will I?*

Ac yna wedyn . . .

and his second thought is . . .

Ai peidio?

or not?